nickelodeon

DORA la **DORA** EXPLORADORA

Dora va al colegio

Adaptado por Leslie Valdes

Basado en el episodio de Leslie Valdes

Ilustrado por Robert Roper

Traducido por Eva Girona López

BEASCOA

Título original: *Dora Goes to School*

Primera edición: mayo de 2011

© 2011 Viacom International Inc. Todos los derechos reservados. Nickelodeon, Nick Jr.,
Dora la Exploradora y todos los títulos, logotipos y personajes
del mismo género son marcas de Viacom International Inc.

Publicado por Beascoa, Random House Mondadori, S.A.
Travessera de Gràcia, 47-49, 08021 Barcelona

Traducción: Eva Girona López
Realización: MYR Servicios Editoriales, S.L.

ISBN: 978-84-488-3206-3
Depósito legal: TO-216-2011
Imprime: Rotabook (Toledo)
Encuaderna: Encuadernaciones Larmor (Madrid)

Printed in Spain – Impreso en España

Hello! Soy Dora, y este es mi mejor amigo Botas. Hoy es nuestro primer día de colegio. ¡Mira, ahí está nuestra maestra, la señorita Beatriz! Ella también va hacia el colegio.

La Maestra Beatriz tiene que llegar antes que los alumnos, pero se le ha pinchado una rueda de la bici. ¡Tenemos que ayudarla a llegar cuanto antes al colegio!

Primero tenemos que ayudarla a llevar el material escolar. ¿Dónde podemos ponerlo? ¡Claro! ¡Mochila puede llevarlo!

Ahora tenemos que encontrar el camino más rápido para llegar al colegio. ¿A quién le pedimos ayuda cuando no sabemos llegar a un sitio? ¡A Mapa, muy bien!

Mapa dice que la forma más rápida de llegar al colegio es atravesando el Pueblo de las Letras y la Montaña de los Números. ¡Acaba de sonar el primer timbre del colegio! ¡Tenemos que llegar antes que suene el tercero! **Hurry!**

¿Ves algo con lo que podamos llegar más rápido al Pueblo de las Letras? ¡Sí! El autobús nos llevará hasta allí. **Let's go!**

Para atravesar el pueblo, tenemos que seguir las letras del alfabeto en orden. ¡Recita el alfabeto conmigo!

Oh, oh... Acaba de sonar el segundo timbre del colegio. ¡Tenemos que darnos prisa! **Hurry!** Enfrente veo unas montañas, ¿cuál será la Montaña de los Números?

¡Hemos llegado a la montaña! ¿Quién nos ayudará a subirla? ¡Nuestro amigo **Blue** el tren! **Yes!**

Para subir a la Montaña de los Números tenemos que contar los números. Cuenta conmigo: 1, 2, 3, 4, 5, 6, 7, 8, 9, 10. ¡Muy bien!

Ahora vamos a contar al revés mientras bajamos por la otra ladera de la montaña: 10, 9, 8, 7, 6, 5, 4, 3, 2, 1. **Very good!** ¡Ya hemos cruzado la montaña!

¡Ahí está el colegio! Pero para llegar tenemos que atravesar el bosque. Ahí viene mi primo Diego. Dice que los cóndores pueden ayudarnos a atravesarlo.

¿Nos ayudas a llamar a los cóndores para que lleguemos al colegio en seguida? Tenemos que decir: «¡grac, grac!». ¡Más fuerte!

¡Aquí están! Ahora podemos ir en cóndor hasta el colegio. ¡Agárrate fuerte! ¡Yupi!

¡Hemos llegado al colegio! Ahora tenemos que entrar deprisa y preparar las cosas antes que lleguen los alumnos.

¿Quieres echar un vistazo a Mochila para ver si están todas las cosas de la Maestra Beatriz?

¡Sí! No falta nada, ¡pero oigo a Swiper! ¡Ese zorro escurridizo va a intentar robar las cosas de la Maestra Beatriz! Tenemos que decirle: «¡Swiper, no robes!». Dilo conmigo: «¡Swiper, no robes!».

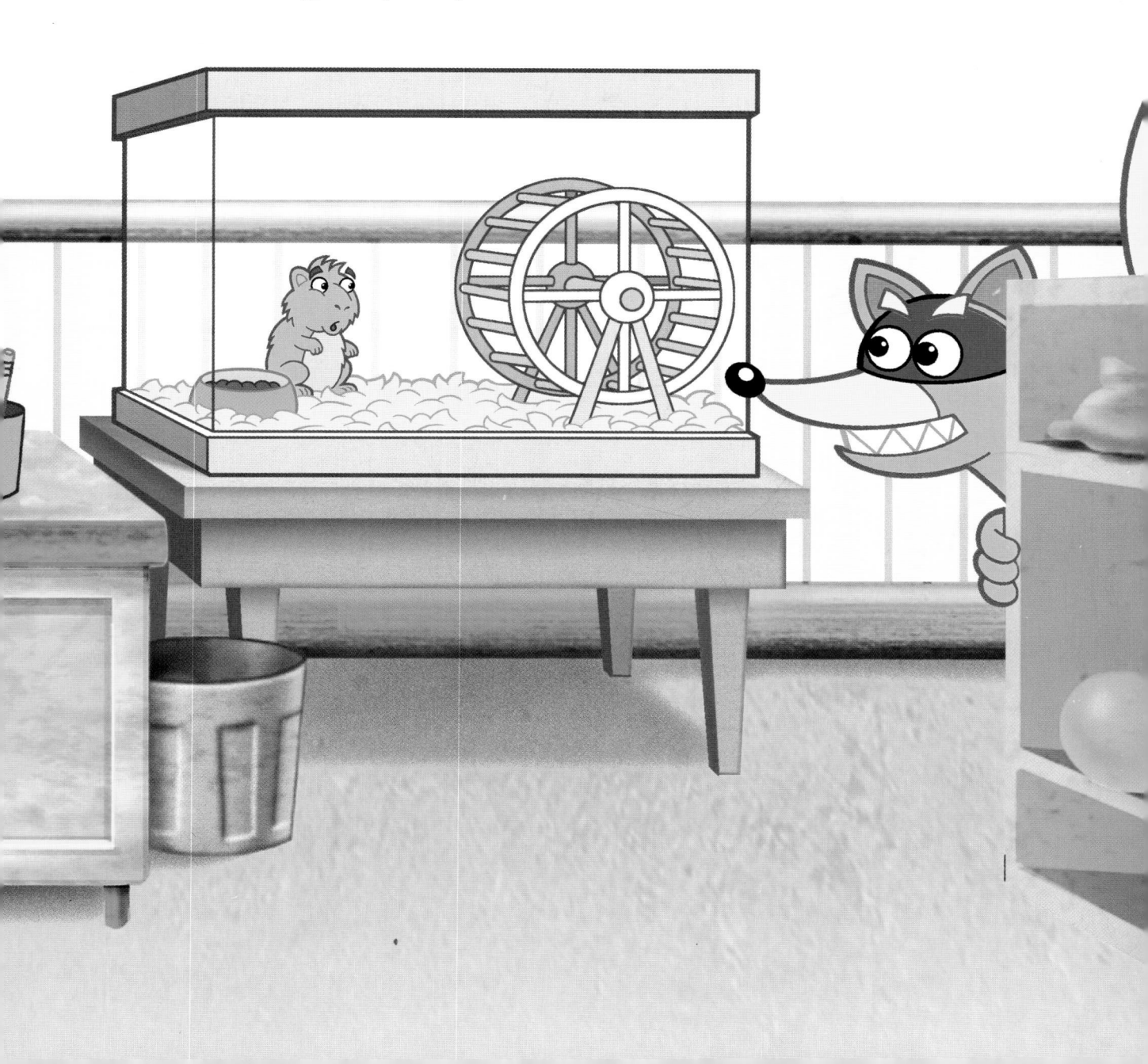

¡Gracias por ayudarnos a parar a Swiper! ¡Mira, aquí llegan los demás alumnos de la Maestra Beatriz! «***Good morning***, niños», dice la Maestra Beatriz. «***Good morning!***», contestan los alumnos. Está sonando el tercer timbre. ¡Gracias por ayudarnos a llegar al colegio a tiempo!